Max et Lili veulent tout savoir sur les bébés

*Avec la collaboration
de Renaud de Saint Mars*

Collection dirigée par Dominique de Saint Mars

© Calligram 1999
Tous droits réservés pour tous pays
Imprimé en Italie
ISBN : 978-2-88445-492-6

Ainsi va la vie

Max et Lili veulent tout savoir sur les bébés

Dominique de Saint Mars

Serge Bloch

CALLIGRAM

CHRISTIAN ALLIMARD

À LA CAMPAGNE, CHEZ SONIA ET DINO,
AMI D'ENFANCE DE LA MÈRE DE MAX ET LILI.

Tu as vu comme
il est déjà grand ?
Je ne comprends pas
comment il a pu naître... !

Vous ne leur avez jamais expliqué ?
Tu veux que je le fasse,
Barbara ?

Si... non... enfin, tu sais, Dino,
ils sont petits !

8

En tout cas, Max, tu sais aussi regarder sous les jupes des filles !

Même pas vrai, Lola ! Tu parles comme je m'en fiche... !

Et les bébés, tu sais comment on les fait, toi, les bébés ?

Évidemment ! pas toi ?

Et les parents aussi ils font comme ça ?
Le zizi du papa dans celui
de la maman ?

Ben, bien sûr,
parce qu'ils s'aiment !
C'est comme ça qu'ils t'ont
faite, Lili !

C'est dur
à imaginer...

Normal, c'est
trop intime !

Nous, on sait plus
de choses depuis que
maman est enceinte.

* La contraception permet de choisir le moment de la conception d'un bébé. Le préservatif empêche la transmission de maladies sexuelles comme le sida.

11

Non, il faut que ça se passe quand la maman fabrique un ovule* dans son ventre, une fois par mois...

... Et que le spermachin du papa arrive à rentrer dans l'ovule ! Et hop ! Ça, je le savais !

... Pas le spermachin ! Le spermatozoïde *... ! Il y en a 50 millions et un seul gagnant !

Dire qu'on a commencé comme ça ! Une petite cellule qui s'est multipliée...

* L'ovule est fabriqué par les ovaires, le spermatozoïde par les testicules.

12

Nous, on est jumeaux*, mais des faux.
Maman a eu deux ovules en même temps !

Moi, j'aimerais bien avoir le même âge que Lili.

Mais moi, je suis l'aînée : je suis née dix minutes avant Tim !

Mais nous, à notre âge, on pourrait avoir des enfants ?

Mais non, on n'est pas assez grands, on gagne même pas d'argent !

Et on n'est pas formés !

* Les vrais jumeaux sont exactement pareils : ils viennent d'un ovule qui s'est divisé.

13

Pourtant, ça doit être super agréable de faire « hum-hum » ! Ils veulent toujours le faire dans les films !

Moi, j'en ai déjà vu à la télé, j'ai trouvé ça dégoûtant !

On est trop petits ! D'abord, il faudrait qu'on ait de la poitrine, et des poils !

Et les règles* aussi !

*Les règles, c'est un « nid » qui se prépare chaque mois dans le ventre de la femme pour le futur bébé. C'est du sang qui s'en va s'il n'y a pas de bébé.

14

* Le sexe masculin s'appelle le pénis.

15

16

17

... et avec son corps. Quand on est grand, on a envie de se serrer l'un contre l'autre, c'est bon, ça donne du plaisir !

On fait de l'amour, quoi !

Quel poète !

Et on a aussi l'instinct de se reproduire. Sans ça, il n'y aurait peut-être plus de vie sur terre !

Mais il y a des gens qui n'ont pas d'enfants !

Parce qu'ils ne peuvent pas en faire ou qu'ils ne veulent pas.

21

22

23

24

25

26

27

28

30

* Caractéristiques du corps qu'on hérite de ses deux parents et de leurs ancêtres, comme la forme des yeux, la couleur des cheveux, etc...

32

33

34

* L'intérieur du sexe féminin s'appelle le vagin.

35

Il reçoit l'oxygène et la nourriture par le cordon ombilical qui le relie à sa maman.

Quand il sortira, il se mettra à crier, ses poumons se rempliront d'air et il respirera.

... et le médecin coupera le cordon, il fera un petit nœud et ça sera son nombril !

Et toi,

Est-ce qu'il t'est arrivé la même histoire qu'à Max et Lili ?

Tu sais où tu es né ? Comment ça s'est passé ? Comment
tes parents t'ont attendu ? S'ils t'ont eu facilement ?

Qui t'a appris comment on faisait les bébés ? Tes parents ?
tes amis ? un livre ? la télé ? As-tu tout compris ?

Tu y penses souvent ? Tu trouves ça normal d'être curieux
de la sexualité ? Tu comprends que c'est intime ?

En parles-tu avec tes parents ou tes copains ? Ou sont-ils trop gênés ou occupés ? Tu voudrais en parler plus ?

Arrives-tu à faire respecter ta pudeur ? Si tu n'as pas envie de te montrer nu ? ou de voir les autres nus ?

Tu t'imagines facilement quand tu seras grand, à l'âge de faire des enfants ? Est-ce que ça te fait peur ?

Tu en sais assez ? On a répondu aux questions
que tu te posais sur ta naissance ?

Tu penses que c'est mal, interdit ou malpoli d'être
intéressé par la sexualité ? Tu as peur d'être grondé ?

Tu trouves que ce n'est pas de ton âge ? Tu attends que
ton corps change ? Parfois, as-tu honte de ton corps ?

Ça te gêne d'en parler avec tes parents ? avec tes amis ?
Ils sont gênés eux aussi ?

As-tu vu des images de sexualité ? Ça t'a intéressé ? ou
gêné ? Si tu l'as dit, on t'a écouté ou on s'est moqué de toi ?

Ça ne t'intéresse pas ? Tu préfères jouer avec tes copains
ou tes copines ?

**Après avoir réfléchi
à ces questions
sur la façon de faire les bébés,
tu peux en parler
avec tes parents ou tes amis.**